1　はじめに

Whitespace（ホワイトスペース）というプログラミング言語を聞いたことがあるだろうか？

本来 “whitespace” とは「空白」や「余白」を意味する英単語である。空白はあらゆるものになることができる余地が残されているということであり、余白が十分にありさえすれば人はフェルマーの最終定理を証明することだってできる[*1][*2]。Whitespace は可能性に満ち溢れた言語なのである。

Whitespace についての話題になった時、「とにかく難しい」、「とっつきにくい言語である」、「そもそもどこに Whitespace のコードが記載されているのかわからない」、「ソースコードを印刷したら読めなくなってしまった」といった評判を必ず耳にするが、それは大きな誤解であると私は考える。Whitespace は最小限の文字種で最大限のパフォーマンスを発揮する言語であり、普段のコーディングにおいて無視されがちな空白文字たちが主役として輝く最高の舞台である。

Whitespace の魅力を伝えながら前述の誤解を氷解することが、本稿制作の試みである。

2　Whitespace とは

2.1　概説

Whitespace とはDurham（ダーラム）大学のEdwin（エドウィン） Brady（ブレイディー）[*3]とChris（クリス） Morris（モーリス）によって開発された難解プログラミング言語であり、2003 年 4 月 1 日[*4]リリースされた。

Whitespace の最大の特徴は、全て空白文字 (半角スペース、タブ文字、改行文字の 3 つ[*5]) のみ[*6]で記述することであり、この仕様こそが Whitespace を難解たらしめている唯一にして最大の原因である。しかし Whitespace の文法そのものはかなり難易度が低く、慣れてしまえばむしろフレンドリーな言語である。また Whitespace はチューリング完全[*7]な言語であり C++ や Python、Brainf∗ck などと同等の計算能力を持っている言語といえる。実際に言語自体の機能もかなり豊富で、様々なプログラムを Whitespace によって記述する事が可能である。

---

*1 A. Wiles, “Modular elliptic curves and Fermat’s Last Theorem”, *Annals of Mathematics*,(second series) vol.141, 443-551 (1995).

*2 109 ページ必要。

*3 プログラミング言語である Kaya と Idris の開発者でもある。

*4 つまりエイプリルフールである。

*5 悪名高き Brainf∗ck は 8 種類。機械語だと 2 種類。

*6 この 3 種類の文字以外をソースコードに含めることはできるが、全てコメントアウト扱い。

*7 詳しく述べると長くなるので雑に説明すると、普通のコンピュータで計算可能なあらゆる計算が実行できること。

言語としてはスタック指向の手続き型の言語である。言語仕様の詳細は後述するが、記憶領域としてスタックとヒープを持つ。条件判断や各種演算にはスタックのトップを使い、都度、値を消費し、ヒープはアドレスを指定して永続的な値の保存や、入力処理での値の保存に使用する。データは全て任意精度の整数であり、整数としての加減乗除・剰余算が行える。入出力は ASCII 文字あるいは整数値単位で行える。分岐処理は静的で、ラベルを設定する命令でジャンプ先を登録し、関数コールも可能である。

Whitespace のソースファイルの拡張子は `.ws` である。

2.2 実行環境

多くのプログラミング言語には本家サイトというものが設置されており、当該プログラミング言語の配布が行われる。残念ながら Whitespace の本家サイト[*8]は執筆時点で閲覧不可であり、正攻法としての Whitespace のコンパイラのダウンロードはできないが、様々な代替手段で実行環境を得ることは可能である。ここでは 3 種類の方法を示す。

第一に、オンラインの実行環境である。ブラウザ上でプログラムを実行できるサイトは種々に存在し、codingground[*9]や Ideone[*10]や JDoodle[*11]といったサイトでは Whitespace のコーディングを行うことができる。また Whitespace のために作られたオンライン IDE も存在し、例を挙げると Whitelips IDE[*12]は、Whitespace の実行環境の中で個人的に最もコーディングしやすい環境である。

第二に、別言語によってオーバーラップされた実行環境の利用である。たとえば Python の whitepy[*13]というライブラリを用いることで Python 経由で Whitespace を実行することができる。Node.js で作成されたインタプリタ[*14]もある。なぜか Ruby においては Whitespace の実装を Ruby で行う方法の文献が多く存在し[*15][*16][*17]、これらを参考にお気に入りの言語で Whitespace の実行環境を自作してみるのも良いかもしれない。

第三に、本家サイトの魚拓からのコンパイラの入手である。先ほど本家サイトが閲覧不可である旨を述べたが、実は Wayback Machine に本家サイトの過去の様子[*18]が保存

[*8] `http://compsoc.dur.ac.uk/whitespace/`

[*9] `https://www.tutorialspoint.com/execute_whitespace_online.php`

[*10] `https://ideone.com/`

[*11] `https://www.jdoodle.com/execute-whitespace-online/`

[*12] `https://vii5ard.github.io/whitespace/`

[*13] `https://github.com/yasn77/whitepy`

[*14] `https://github.com/susisu/Whitespace-JS`

[*15] 原悠『Ruby で作る奇妙なプログラミング言語』、`https://books.google.co.jp/books?id=u2q3DwAAQBAJ&pg=PA77` でちょっとだけ読める。

[*16] `https://pote-chil.com/whitespace_ruby/`

[*17] `https://pocke.hatenablog.com/entry/2019/04/28/183509`

[*18] `https://web.archive.org/web/20150717190859/http://compsoc.dur.ac.uk:80/whitespace/`

されており、そこから当時配布されていたソースコードのダウンロードが可能である。Glasgow Haskell Compiler バージョン 5.02 以降を搭載した任意の Unix マシンでコンパイルすることができる[*19]。Wayback Machine を見る限り、どうやら 2003 年 4 月 1 日の公開日以降 2015 年 7 月までは本家サイトが稼働していたようである。諸行無常である。

2.3 "Hello, world!"

Whitespace の雰囲気を知ってもらうために、"Hello, world!" を出力するプログラムのソースコードを以下に記す。百聞は一見に如かずである。ぜひ以下をコピー&ペーストして、"Hello, world!" が出力されることを確認していただきたい。

```

```

[*19] 当時の Haskell(Haskell 98) と現在の Haskell では import するモジュールの名前が異なり、`make` の際に修正をする必要のある箇所が 2 つ (.tgz ファイルを展開した際にできる `VM.hs` の 3 行目 `import IO` ⇒ `import System.IO` と `main.hs` の 3 行目 `import System(getArgs)` ⇒ `import System.Environment(getArgs)`) ある。

3 言語の基本的な仕様と概念

3.1 IMP:Instruction Modification Parameter

Whitespace は命令の列でプログラムが作られている。

命令は、 IMP + コマンド (+ 引数 (整数 or ラベル)) の形式で成り立っている。IMP は命令の種類を決めるプレフィックスである。IMP によって命令は以下のようにカテゴリ分けがなされる。

-
  - スタック操作
-
  - 算術演算
-
  - ヒープ操作
-
  - フロー制御
-
  - 入出力

3.2 引数

各々の命令の内容は後述するが、Whitespace における引数は整数とラベルの 2 種類の表記があり、命令によってどちらを引数として取るかが異なる。このふたつの本質的な違いは、ざっくり言えば負の値をとるかどうか[20]である。これらの表記の違いを紹介する。

3.2.1 整数:[INTEGER]

Whitespace では 2 進数に基づく表現をするが、整数においては補数表現は用いず、符号・絶対値表現を用いる。符号部分は が正を、 が負を表す。絶対値表現部分では が 2 進数における 0 を、 が 2 進数における 1 を表す。また、整数の終端を示

[20] 整数 ([INTEGER]) は任意の整数値を取るが、ラベル ([LABEL]) は 0 以上の整数値である。

す符号として
を数字の最後に記す。

実例を挙げると、例えば 122 という値は正の数なので、符号・絶対値表現で書くと +1111010 であり、Whitespace の記法では
である。負の数である -13 は符号・絶対値表現で書くと -1101 であるので、Whitespace の記法では
となる。負の数でも正の数でもない整数である 0 は、符号 (便宜的に正と設定されている) のみを表記し、
として表される。

数字関連の細かい話としては、Whitespace においては任意ビット長の整数を用いることができる。また浮動小数点数や実数といった整数以外の数値は規定されていない。

3.2.2 ラベル: [LABEL]

Whitespace では引数においてラベルとされる数値は 0 以上の整数値のみであり、単純な二進数で表される。この時整数と同様に が 2 進数における 0 を、 が 2 進数における 1 を表し、終端を示す符号として
を数字の最後に記す。

実例を挙げると、例えば 122 という値の表記は
であり、0 をラベルとして用いる時は
である。

3.3 スタックとヒープ

あまりなじみのない方向けに一般的なスタックとヒープ[*21]の簡単な説明をしておくと、これらはメモリ領域の呼び方である。スタック領域は一時変数を置く領域で、データを入れた順番と逆順にしか取り出せないデータ構造である。ヒープ領域は動的確保可能なメモリ領域である。

3.3.1 スタック

Whitespace におけるスタックは、最後に格納したものが真っ先に取り出される形式 (LIFO[*22]) による格納方法によるデータである。各種の演算、命令は基本的にはスタックのトップに対して行われる。5 種の演算命令[*23]をサポートしている Whitespace では、命令の演算の対象はスタックのトップとその次の要素である。例えば 2+3 を行う時は、スタックに 2 と 3 をプッシュしてから加算命令を呼び出す次第である。

---

*21 ちなみに stack と heap は共に、「積みあげる」とか「積み上げたもの」とかの意味。

*22 Last In, First Out: 後入れ先出し。

*23 加減乗除と剰余の 5 種。

3.3.2 ヒープ

Whitespace のコーディングにおいて、ヒープ領域では値を保存したり取り出したりして変数のような扱いができる。アクセスしたいアドレスをスタックにプッシュしておいてロード命令を呼び出すと、ヒープ上でそのアドレスにある値がスタックトップに積まれる。

4 命令体系

この章では Whitespace が実装している各命令について述べる。空のスタックは [] で表し、命令によって新たに積まれた値は左から順にコロン: 区切りで示す。ヒープは {..., address:value, ...} のように、アドレスの後に値を書いて表す。

命令は、 IMP + コマンド (+ 引数) の形式であることを前述したが、以下の説明では小節に IMP を、小小節にコマンド (引数は [INTEGER] か [LABEL] で明示) を記す。

4.1 スタック操作 (IMP:)

スタック操作の IMP は である。スタックへの値のプッシュ、値の交換、複製、削除といったスタックの操作を行える。

4.1.1 [INTEGER]

スタックに引数の値を積むことができる。以下のコードは空のスタック [] に対して −3, 0, 8 の順に値を積むことで [8:0:-3] のスタックを作る例である。

4.1.2

スタックの一番上の値を複製する。スタックの上の値を取り除きながらその値の演算を行うような命令を用いる際に、後で他の命令でもその値を用いることがわかっている場合に使うと便利である。以下のコードは、先ほど作ったスタック [8:0:-3] の一番上の値を複製して [8:8:0:-3] のスタックを作る例である。

4.1.3 [INTEGER]

引数で指定した n について、スタックの n 番目の項目をスタックの一番上にコピーする。この時、一番上のスタックは 0 番目として扱われる。以下のコードは、先ほど作ったスタック [8:8:0:-3] の一番下の値 (つまり Whitespace 的には 3 番目の値) をスタックの一番上にコピーして [-3:8:8:0:-3] のスタックを作る例である。

4.1.4

スタックの先頭 2 つの値を入れ替える。例えば既にスタック上にある値を、新たにスタックに積んだ値から引く時などに用いる。以下のコードは、先ほど作ったスタック [-3:8:8:0:-3] の先頭 2 つの値を入れ替えて [8:-3:8:0:-3] のスタックを作る例である。

4.1.5

スタックのいちばん上の値を削除する。以下のコードは、先ほど作ったスタック [8:-3:8:0:-3] のいちばん上の値を削除して [-3:8:0:-3] のスタックを作る例である。

4.1.6

[INTEGER]

引数で指定した n について、スタックの一番上を保持しながら、その次以降の n 個を削除する。以下のコードは、先ほど作ったスタック [-3:8:0:-3] の一番上を保持しながら以降 2 個分を削除して [-3:-3] のスタックを作る例である。

4.2 数値演算 (IMP:)

数値演算の IMP は   である。Whitespace には加減乗除と剰余の 5 種の数値演算が実装されている。演算の対象はスタックの先頭 2 つの数字であり、演算に利用された数字 2 つが削除されると同時に、その計算結果が一番上にスタックされる事に注意。

4.2.1

スタックの先頭 2 つの値を加算する。以下のコードは、スタック [-10:6:5:10:207:3] を作成し、先頭 2 つの値を加算して [-4:5:10:207:3] のスタックを作る例である。

4.2.2

スタックの先頭 2 つの値で減算を行う。この時、先にスタックした方から、後でスタックした方 (つまりスタックの一番上) を引く演算を行う。以下のコードは、先ほど作成したスタック [-4:5:10:207:3] の先頭 2 つの値から減算処理を行い [9:10:7:3] のスタックを作る例である。

4.2.3

スタックの先頭 2 つの値で掛け算を行う。以下のコードは、先ほど作成したスタック [9:10:207:3] の先頭 2 つの値から乗算処理を行い [90:207:3] のスタックを作る例である。

4.2.4

スタックの先頭 2 つの値で割り算を行う。この時、先にスタックした方を、後でスタックした方 (つまりスタックの一番上) で割る演算を行う。出力結果は整数値を返す。以下のコードは、先ほど作成したスタック [90:207:3] の先頭 2 つの値から除算処理を行い [2:3] のスタックを作る例である。

```

```

4.2.5

スタックの先頭 2 つの値で割り算を行った時の余りを求める。先にスタックした方を、後でスタックした方 (つまりスタックの一番上) で割った時の剰余である。以下のコードは、先ほど作成したスタック [2:3] の先頭 2 つの値から剰余の値を求めて [1] のスタックを作る例である。

```

```

4.3 ヒープアクセス (IMP:)

ヒープアクセスの IMP は である。ヒープ領域への書き込みと値の読み込みを行う。

4.3.1

スタックの先頭 2 つの値を用いてヒープにアドレスと値の書き込みを行う。この時、先にスタックした方がアドレスになり後にスタックした方 (スタックの一番上) が値になる。以下のコードは、スタック [-10:6:5:10:207:3] を作成し、このスタックを用いてヒープに書き込む。実行後のスタックは [5:10:207:3] であり、ヒープは {6:-10} である。

```

```

4.3.2

スタックからの一番上の値を取り出し、ヒープ上でその番号をアドレスとする値を読み取り、スタックの一番上に積む。要するにスタックの一番上の値の書き換えができる。この処理を行った後も、ヒープ上の値はそのまま残る。以下のコードは、先ほど作成したスタック [5:10:207:3] とヒープ {6:-10} について、この処理を行う。実行後のスタックは [-10:10:207:3] であり、ヒープは {6:-10} である。

ヒープに該当するアドレスがなかった場合は、0 がスタックに書き込まれると同時に、そのアドレスと対応する値として 0 がヒープに書き込まれる。以下のコードは、スタック [4:10:207:3] とヒープ {6:-10} を作成して、この処理を行うものである。スタックの一番上の値である 4 はヒープのアドレスに登録されていないことが確認してほしい。実行後のスタックは [0:10:207:3] であり、ヒープは {4:0, 6:-10} である。

4.4 フロー制御 (IMP:)

フロー制御の IMP は
である。処理の繰り返し、関数定義、プログラムの終了などのフローの制御を行う。フロー制御における引数は全てラベルであることに注意。

4.4.1

プログラムを終了する。プログラムは (少なくとも本家の実装では) 必ずこれで終了する必要がある[24]。

4.4.2 [LABEL]

プログラムの現在の場所に、引数で指定したラベルを設定する。このラベルは静的なもので、現在位置より後にあるラベルを参照することも可能である。

[24] 説明順の都合上、本稿のサンプルコードにこれを守らないものが多いのはご愛嬌。実際にコンソールでは `Runtime Error: Program terminated without end instruction` で怒られる。

4.4.3
[LABEL]

引数で指定したラベルの位置にジャンプする。以下のコードは、最初にラベル 0 を設定し、スタックに 1 を積んだ後で、ラベル 0 にジャンプするコードであり、実行するとスタックに 1 を積む処理が無限ループする。

```

```

現在位置より後にあるラベルを参照することも可能であることを示したものが以下のコードである。このコードでは、2 をスタック、ラベル 0 へのジャンプ、1 をスタック、ラベル 0 の設定の順で命令が並んでいる。処理として 2 番目の命令を踏んだ時に後ろに設置されているラベル 0 に飛んでしまうために、値として 1 がスタックされない。結局、実行後のスタックは [2] となる。

```

```

4.4.4 [LABEL]

スタックの一番上の値を取り出し、その値が 0 の場合引数で指定したラベルにジャンプする。0 でない場合はジャンプしない。

以下のコードは、この命令を使って [3:2:1:0] なるスタックを作成している。命令の順は、3 をスタック、スタックの先頭の複製、ラベル 0 の設置、スタックの先頭の複製、スタックの先頭の値を取り出しそれが 0 ならラベル 1 にジャンプ、1 をスタック、スタックの先頭 2 つの除算、スタックの先頭の複製、ラベル 0 にジャンプ、ラベル 1 の設置、スタックの先頭の削除、プログラムの終了、である。スタックの先頭の数字が 0 でない間はラベル 0 のループを繰り返すが、スタックの先頭の数字が 0 になると処理の終盤であるラベル 1 にジャンプする。煩雑だが処理を追ってみてほしい。ループのたびにスタック先頭複製の命令が 2 回行われているが、このうち片方はラベルジャンプ判定の際にスタックから取り出されるため、1 ループごとに増加するスタック内の数字の個数は 1 つである。

4.4.5 [LABEL]

スタックの一番上の値を取り出し、その値が負の場合引数で指定したラベルにジャンプする。0 以上である場合はジャンプしない。

以下のコードでは、-3 をスタック、ラベル 0 の設置、スタックの先頭の複製、1 をスタック、スタックの先頭 2 つの加算、スタックの先頭の複製、スタックの一番上の値を取り出し先頭が負数ならラベル 0 にジャンプ、プログラムの終了、の順で命令が並んでいる。ラベル 0 にジャンプするたびに、先頭の数値 $+1$ がスタックされていき、実行後のスタックは [0:-1:-2:-3] となる。ループのたびにスタック先頭複製の命令が 2 回行われている理由は前の例と同じ理由である。

その他の例として、以下はフィボナッチ数列の最初の 10 項をスタックに収めるコードである。ヒープのアドレス -1 の値を、足し合わせた回数のカウンターとして利用している。カウンターの値から 8 を減じた[25]値が 0 ならばラベル `0` に飛んでこのプログラムを終了し、0 でないならラベル `1` に飛び、フィボナッチ数列の次の項を求める処理をループする。実行後のスタックは `[55:34:21:13:8:5:3:2:1:1]` であり、ヒープは `{-1:8}` である。

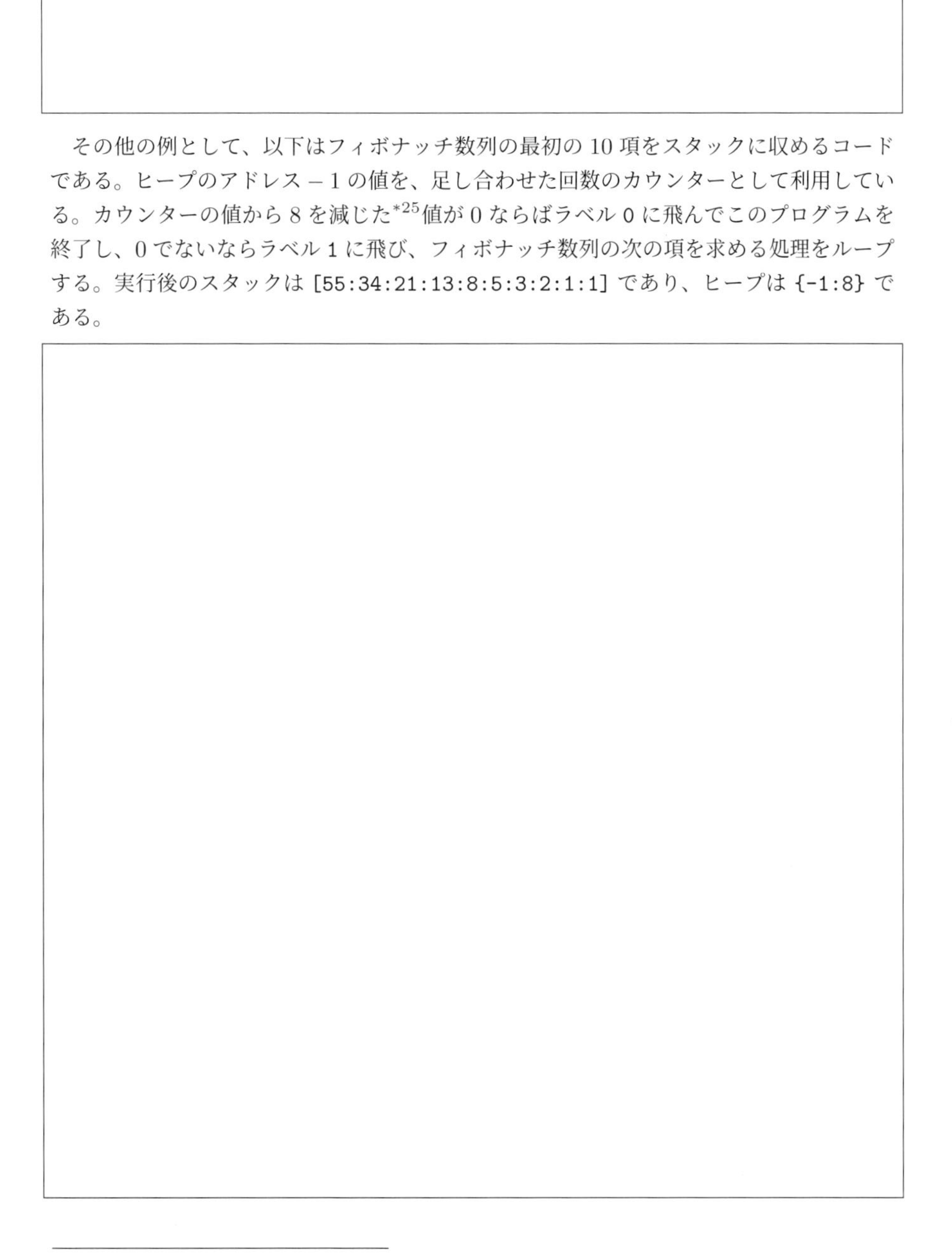

[25] 最初の 10 項を求めるためには第 N 項と第 $N+1$ 項の加算を 8 回行う必要がある。

4.4.6 [LABEL]

現在の位置をコールスタックに積み、指定したラベルの位置にジャンプする。サブルーチンを開始する、と言い換えることもできる。

4.4.7

コールスタックの一番上の位置に処理を戻す。サブルーチンの終了とも言える。

サブルーチンを用いて先ほどのフィボナッチ数列のサンプルコードを書き直したものが以下である。第 N 項と第 $N+1$ 項の加算処理をラベル 2 のサブルーチンにした。

4.5 入出力 (IMP:
)

入出力の IMP は
である。前述したが、Whitespace で使える文字は ASCII のみであるので、日本語は対応していない。また、出力する文字はスタックに格納しておく必要がある。

4.5.1

スタックの一番上にある数字を取り出し、ASCII の文字に変換して出力する。

以下のコードは、スタック [99:6:14:3:26] を作成し、スタックの一番上にある数字の 99 にあたる文字である c が出力されるコードである。実行後のスタックは [6:14:3:26] である。

4.5.2

スタックの一番上にある数字を取り出し、数値をそのまま十進数で出力する。

以下のコードは、先ほど作成したスタック [6:14:3:26] について、この処理を行い、6 が出力されるコードである。実行後のスタックは [14:3:26] である。

4.5.3

スタックの一番上を取り出し同時に入力から 1 文字受け取る。スタックの一番上であった番号のアドレスに、受け取った文字に相当する値を書き込む。

以下のコードは、先ほど作成したスタック [14:3:26] について、この処理を行うコードである。文字 a を入力すると、実行後のスタックは [3:26]、ヒープは {14:97} となる。

```
```

4.5.4

スタックの一番上を取り出し同時に入力から 1 行受け取る。スタックの一番上であった番号のアドレスに、受け取った数字を書き込む。

以下のコードは、先ほど作成したスタック [3:26] とヒープ{14:97}について、この処理を行うコードである。100 を入力すると、実行後のスタックは [26] でありヒープは {3:100, 14:97} となる。

```
```

5 おわりに

賢明な読者にはお察しの通り、Whitespace はおおよそ高級なプログラミング言語とは言えない。スタックに格納されている値の個数を取得する関数も用意されていないし、変数の名前も設定出来ない[*26]。Whitespace を常用利用する人はほとんどいないだろう[*27]。

さて誤解を恐れずに言うと Whitespace の仕組みは CPU とメモリそのものであり、最小限のコンピュータというべきものである。コンピュータは人間社会を大きく発展し、今も新しい可能性を切り拓いている。第一章の冒頭で述べた、「Whitespace は可能性に満ち溢れた言語である」は、決して嘘ではないのかもしれない。

もしもこの本を通じて Whitespace に興味を持っていただけたならば、それが未知の「空白」に新しい可能性が描かれるきっかけになることを私は期待している。

ほわいとすぺーす にゅうもん
Whitespace の入門

2023 年 4 月 1 日 初版 発行
著 者 もる
発行者 星野 香奈（ほしの かな）
発行所 同人集合 暗黒通信団（https://ankokudan.org/d/）
〒277-8691 千葉県柏局私書箱 54 号 D 係
本 体 200 円 / ISBN978-4-87310-261-0 C0004

やっぱりぼくは Python がいちばんべんりだとおもいます

*26 仮に設定できたとしてもどうせ空白文字しか使えないが……。
*27 「いない」とは断言しない。